여행 디카시

손설강 디카시집

도서출판 흐름

여행 디카시

발행일 / 2024년 08월 15일

저자 / 손설강
편집 / 이재철
교정 / 손설강. 송재옥
펴낸이 / 이재철
펴낸곳 / 도서출판 흐름
출판사 등록번호 / 경기 남양주 130-95-98626
등록일 / 2023년 04월 07일
주소 / 경기도 남양주시 비룡로 186
전화 / 010-5257-1254
이메일 / ejc1057@naver.com

ISBN / 979-11-982864-7-5
가격 / 15000원

2024 여행 디카시

■머리말

세 번째 디카시집을 내놓게 되었다. 부끄럽지만 머릿속에서 와글거리는 미완성 작을 매듭지어야 좀 가벼울 것 같아서다.

첫 번째는 꽃 시 『오늘은 디카시 한잔』, 두 번째는 가족 이야기 『가족사진』 이번 테마는 여행이다. 정리하다보니 여행 사진이 많았다. 디카시 자서전 시리즈가 될 것 같다.

오늘 아침 산책 중에도 청남색 달개비꽃 한 송이 앞에 쪼그리고 앉아 경탄을 했다. 이런 신기한 경험은 디카시를 만난 후부터 시작되었다. 많은 분들과 신기한 경험을 나누고 싶다.

목차

1부

2부

3부

4부

부 록

손설강의 우수디카시 선정평

1 부

남원 광한루

응

그래그래 하다 보니 친구가 되었다

서로에게 빛이 되어주는 벗이 되었다

경기 시흥 갯골

시인의 서재

새털같이 많은 사연 다 품지 못 했구나

잉걸불 꺼지기 전, 창작 준비 해야겠다

속초 영랑호

부부학 개론

수십 년, 함께 울고 웃다 보면
저절로 데칼코마니가 되는 방정식

이제는 곱게 스며들 시간

동해안

금성*에서 온 아이

서양의 아프로디테는
조개를 타고 왔는데

동양의 아프로디테는
우산을 타고 왔어요

* 비너스(아프로디테)

경기도 남양주 천마산

횡雪수雪

눈雪이 부셔 눈目을 뜰 수가 없다
하물며 엎어지면 코 닿는 곳이다

등잔 밑이 어둡다더니
큰 등잔이 문제였다

경남 고성 문수암

문수암 가는 길

동백꽃 한창일 땐 몰랐습니다
한뿌리에서 나왔다는 걸

대웅전까지 가지 않아도 알겠습니다
부처님의 사랑법을

이별 후愛

웬수야 악수야, 갈라서더니

행보가 저토록 같을 줄이야

에폴탑

목포 해상케이블카

슬림하고 아담한 자태

역시 동양스러운 선

강원도 속초 영랑호 범바위

시간의 화살

돌고래를 산 정상에서 만났다

인류의 시조가 어류일지도 몰라

강원도 양양 휴휴암

휴휴암에서

꼬마 숙녀에게
무슨 설법을 해야 할지

에라 모르겠다, 등이나 긁자

목숨

경상남도 양산 통도사

금강계단과 홍매화에 치여
눈길도 받지 못하는
국보급 주검

안부가 궁금하다

서울 중랑구 봉화산에서

망태공주님

한껏 멋 내고 나들이 가는데
속치마도 안 입고
저 속알머리는 우짠다요

위에서 찍을 줄 몰랐지욤

서울 숲

신(神)탁 시대

이 가발이 맞는 자가

이 도시의 왕이 될지어다

흙의 머슴들

충청남도 태안 몽산포해수욕장

너나 나나, 나나 너나
걸망태 하나 들고
잠시 잠깐
뻘짓거리 하다 사라지는

수장水葬

남양주시 홍유릉

꽝꽝 묻어버렸다

무수리들의

비화(悲話)까지

남양주시 홍유릉

속단하기 있기 없기

왕릉 위에서 설마,
내 눈을 의심했다
의심하길 잘했다

다가가 보니
호스가 보인다

울산시 장생포항

장생포에서

고래가 승천을 꿈꾸는 항구

지느러미들의 꿈이 요동치는 울산

강원도 인제 곰배령

곰배령을 넘다

먼 길도 느릿느릿

꽃 보는 속도가 같아

고단함도 잊고 살지요

서울 중랑구 봉수대공원에서

여생은

문 밖이 사철
금수강산이라는 걸
황혼에 이르러 알았습니다

사랑을 누리는 일만 남았습니다

2부

이탈리아

오르비에또

저 길을 걷고 있을 때는
저토록 아름다운 곳인 줄 몰랐어요

먼 후일을 생각해요
오늘이 나에게 얼마나 빛 부신 순간인지

영국 대영박물관

로제타석

나폴레옹, 히에로클리프, 수식에 비해
너무 왜소하다
빌딩만 한, 광개토대왕비를 소환했다
서판 크기부터 천지 차이다

한국 교육열이 높은 이유를 비로소 알았다

무골호인

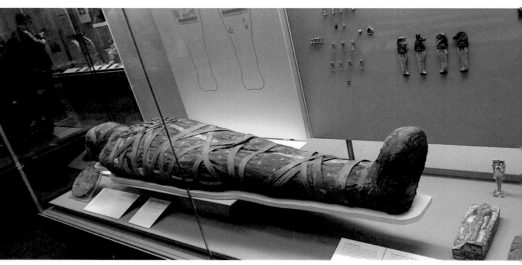

영국 대영박물관

결박을 해도 저항을 못 하는 주검들

'파묘'*를 보고 괜히 불 켜놓고 잤다

*2024년 장재연 감독 영화

고해성사

튀르키예 돌마바흐프 궁전

진실의 문을 통과했다
진실의 입을 보는 순간
진실을 말할 수 없었다

파리 에펠탑

세느강의 기적

화려한 환상을 걷어내고
철탑의 신화를 새로 쓰다

파리 베르사유궁전 광장

코비드19, 이후

-아주마 싸요 싸요
이리저리 따라오던
눈빛이 맑은 저들이 눈에 밟힌다
코로나 강을 잘 건너왔을까

튀르키예 아라랏 산

노아의 방주

저기, 만년설*이 녹아내리고 있다
신화의 베일이 벗겨지는 걸까

그때, 다시 대 홍수가 예상 된다
노아의 방주에 탈 사람은 누구일까

*노아의 방주(배)가 묻혀있다고 추정

우담봐라

튀르키예 파묵칼레 네크로폴리스

삼천 년 된

무덤 위에

핀

묵시록

튀르키예 톱카프 궁전

신기루 같은 신들의 언어

배부른 영혼에겐 보이지 않는

지혜의 서(書)

튀르키예 카파도키아

장미의 이름*

버려진 요새에서
수도사들의 표정을 만났다

단서를 추적하는
숀 코너리도 보일락 말락

*원작, 움베르토 에코의 영화

튀르키예 어느 카페 앞

모르는 게 약이다

결핍증 우울증 편집증
병 병 병
너도 나도 낙인찍어주기 놀이
히포크라테스도 두손 두발 다들었다

소도*

튀르키예 카파도키아

척박한 광야에서 만난 선돌들
수수만 년, 하늘에 고하느라
펜촉이 되어버린 바위

*천신께 제사를 지내는 성지

가이드라인

베트남 나트랑

지구의 핵일까 지옥의 불일까

핵심은
가까이 가면 안 된다는 것

튀르키예 파묵칼레 히에라폴리스 원형극장

흑역사

누대의 왕조와 신들의 이름은 휘황한데

뼈를 깎듯 돌을 깎은 석수장이 이름은

한 글자도 없는

튀르키예

짜라투스트라여

생산 현장에도 부둣가 하역장에도
어딜 가나 기계만 왔다리 갔다리

사람을 만날 수 없는 세상
인문 철학은 어디로 가나

튀르키예

카스트제도

어디에 태어나느냐에 따라

타일처럼 밟히기도 하고

귀하게 모셔지기도 하는

르네상스 예감

튀르키예 톱카프궁전 정원

전신을 가린 무슬림 여인

키스木 앞에서 어리둥절

트로피

튀르키예

절대자라고 할려다가
영웅이라고 할려다가
자식이라고 할려다가

천상천하 유아독존

튀르키예 그랜드 바자르 앞에서

술탄의 도시

무슬림 인구가 많다더니
솥 크기 좀 보게나

우리네 사찰 공양간은
까끔살이일세

3 부

성자의 손

베트남 달랏

수용소에서도 손을 모으면
수도원이 되고

수도원에서도 돈을 모으면
수용소가 된다

몰입의 시간

베트남 달랏

우리에게 일다운 일은
돈버는 일이 아니라는 걸

반백이 되고서야 알았습니다

젊은 브라만이여

베트남 달랏

흙탕 속에 있어도 물들지 않는 연꽃처럼

먼지 속에 있어도 티 한 점 허락지 않는

지킬 & 하이디

베트남 나트랑

낮에는 단정했던 호수가
밤이 되니 강물까지 들썩들썩
비파형 동검까지 번쩍번쩍

호수, 너마저

베트남 나트랑

책으로 묶다

잘 썼거나 못썼거나
애면글면 쓴 자서전이다

그럼에도 불구하고
나무에겐 미안한 일이다

베트남 나트랑

리바이어던*

살아남는 게 목적일까
인간으로 살아가는 게 목적일까
국가가 먼저인가 국민이 먼저인가

갈수록 후각이 더 발달할 수밖에 없는

*영국의 철학자 홉스가 쓴 군주론

서해 상공에서 2024년 5월

환시 幻視

- 저곳이 보물섬이오

화살은 시위를 떠나버렸고

막대그래프는 요동 치고

베트남 달랏

탐욕

도자기 안에
무엇이 들어있기에?

물이라고 해도 짠하고
황금이라면 더 짠하다

일본 북해도

서막(序幕)

바위가 일도양단으로 갈라지고
흰 피*가 쏟아진다

불확실성 시대
불국토(佛國土)의 도래인가

*삼국유사에 실린 이차돈의 순교, 변용

일본 북해도 청해호수

물빛과 글빛

잠시 잊고 살았습니다
글빛은 잉크에서 나오는 게 아니라는 것을

천상의 물빛은 밑바닥 때문이었습니다

베트남 달랏 진흙공원

큰 나무 얼굴

너는 사람만 만나더니
사람이 되었구나

나는 사람이 되기 위해
나무를 만나는데

*너새니얼호손의 단편 '큰 바위 얼굴' 차용,
 염원하는 대상을 바라보면 닮아간다는

일본 북해도 세븐스타 나무

조국祖國

우리에게 열성조*의
사랑과 희생이 없었다면
오늘이 없었을 겁니다.

*여러 대 임금의 시대

베트남 달랏 진흙공원

부부

지그시 눈을 감고 다소곳이 받들며

물처럼 풀처럼 무심히 스며드는 것

이태원

그때 그 골목에서 무슨 일이*

몇 개의 심장이 길바닥에서 팔딱거린다

셰익스피어의 비극보다 더 비극적인 사실

원혼을 위한 독경 소리마저 기괴하다

*2022년 10월 29일 할로윈데이 축제. 159명 압사

목포 유달산

노적봉에서

세상에서 가장 슬픈 눈을 보았다*

아니, 시퍼렇게 눈을 뜨고 있다

이렇게까지 해야만 했을까

*일제강점기 때 맥을 끊으려고 박았던 쇠말뚝을
 뽑아낸 자리

목포 신항

노란 리본*

목포 신항엔
사철 노란 벼가 자라고 있다

십 년이 지났는데 피터팬도 아닌데
성장이 멈춘 나락들이 휘둘리고 있다

*2014년 4월 16일 세월호 참사 304명

무제

경남 합천 해인사 최치원 동상

앞니에서 털이 난다 해도
이상하지 않은 세상

부러질지언정 휘어지지 않는
서서 죽을지언정 무릎은 꿇지 않는

최영장군 사당에서

충남 홍성

고려와 조선, 양날의 삶을 무두질하며

망루에 홀로 앉아 푸른 시름하노라

강릉시

스핑크스 오시다

부끄러운 일이다

바닷물은 경계가 없어

아프리카에서 건너오셨다

논산 훈련소

북해도 후라노 팜토미라

지도에 없는 섬에
외아들을 놓고 돌아오는 길

수종사에 들러
한 묶음 촛불로 대웅전을 밝혔다

3D 프린터

종로구 혜화동 대학로

버튼만 누르면
비둘기가 계속 나오니
평화로운 세상이 오겠거니

4 부

남양주시 물맑음수목원

앤디 워홀*이 맞았어

찍고 찍힌다
복수초는 순식간에
20배 200배 2000배로
복제되어 천지사방에서 봄을 깨운다

*1928~1987 미국, 팝아트의 선구자

옹진군 영흥도에서

경청

귀가 열리니 물새 소리도 들리고

작은 소리가 들리니 마음도 열리네

춘천 김유정 문학관

어디로 갈거나

늘그막에
문맹 탈출했는데

인공지능 시대에
또 다시 고립무원

춘천 김유정 문학관

백세 풍경

늙으면 얼라 된다더니
눈썰매 타다가 넘어진 할매

인공관절은 무사한지

춘천 김유정 역

노후 마중

두 번째 서른을 넘기고 나니
겨울이 보이고

바깥 세상이 보인다

뜸돌

양평 소나기 문학관

소낙비가 조약돌을 달군다
사랑이 범람한다
너 또한 어린왕자의 별이다

즐거운 인생

양평 소나기마을

엎어지고 자빠져도 우헤헤
떨어지고 뒹굴어도 하하하

내리막이 있으면 오르막이 있으니

양평 소나기문학관

영상통화

통곡의 벽이 먼나라에만 있겠는가

카인이면 어떻고 아벨이면 어떤가

생사라도 알고 싶소

이효석 생가 전시관

봉평에서

로댕은 지옥문 위에 앉아 고민을 하고

이효석은 마당에 앉아 소설을 쓰고

설강은 사진을 찍어 시를 쓴다

함무라비왕

단양 도담삼봉공원

눈에는 눈, 이에는 이

신성한 법전대로 따랐더니

엉망진창, 뒤죽박죽이 되었다

시금석(詩金石)

경주 국립박물관

황금 보기를 돌같이 하면

시가 맑아질까

다시, 트루먼 쇼

원주 오크벨리

일가족, 달나라 탈출 실시간 뉴스
어느 대륙으로 향할지
세계가 스크린 앞에서
달인들의 행보를 지켜보고 있다

경남 고성 오두산 치유의 숲

치유의 숲에서

빛이 떨어지는 지점을 보라!
국보*를 친견했을 때 이렇게 흥분했던가

굴러다니던 돌멩이가
보살님의 보살핌에 돌부처가 되었다

*금동미륵반가사유상 국보 83호

적막의 시간

경남 산청 산천재

반듯한 마음 여미고
문안 인사 왔는데 사방이 고요하다
남명 선생 떠나는 날도 이러했을까

잇다

경남 산청 산천재

불의에 홀로 맞서는 건
계란으로 바위치기라고 하지만

치고 또 치기를 거듭
오백 년을 이어오고 있는 초심

-남명 조식 (1501~1572) 선생이 심은 매화나무

이스탄블 히포드럼광장, 콘스탄틴 오벨리스크

공든 탑

사찰 앞에 있는 당간지주도 아니고
왕궁 뒤뜰에 있는 굴뚝도 아니고
전시를 알리는 봉화대도 아니고

공[勳]탑이네

가능한 미래

목포 노을공원

통점 따라
불 뜸을 뜨고 있다
경락이 뛰고 기혈이 돈다

노을을 읽다

목포 노을공원

무시로 차오르는 따뜻한 온점

혼자여도 혼자가 아닌

시인의 바다

펜은 도끼다

경남 고성 치유의 숲

숲속엔 이젤이, 화실엔 수풀이

상식과 관념 깨부수기

무섬마을에

경북 영주

거친 파도에 저항하지 않고
멋진 거품에 흥분하지 않았다

반듯한 길 하나 생겼다

대홍수

북한강 대성리

노아의 방주인가
파라오의 목관인가

추측이 범람하고
또 하나의 신화가 시작되고

신(新) 빌렌도르프*

서울 중랑구 상봉동

일하는 여성 발로 뛰는 여성
포도알처럼 아기도 순풍순풍
그래도 싱글벙글
신붓감 일 순위

*구석기시대 비너스. 다산, 풍요 상징

손설강의

우수 디카시 선정평

커플 댄스 / 김석중

車車車

죽어도 좋아

-공저:《당신의 심장을 뛰게 한다면》,《중랑디카시》
-대한민국풍수지리연합회 부회장, 감사
-한국디카시인협회 서울중랑지회 수석부회장

운전하고 가는데 언 녀석들이 날아와 눈앞에서 짝짓기를 하고 있다. 맹랑하기 그지없어 웃음이 나온다. 때 마침 라디오에서 설운도의 노래'차차차'가 흘러나온다. 이런 깜찍한 우연이 있을 수가. 절반은 맞고 절반은 맞지 않는 상황일 수 있으나 감상은 독자의 몫이다. 날아와서 쇼를 하고 있는 곤충이나 김석중 시인이나 웃기기는 장군멍군이다.
 북한에서 오물 풍선을 남한 하늘에 수백 개씩 날려 보내고 남한에선 확성기로 비난 방송을 하고 있는 웃지 못할 쇼를 한방에 날려보냈다.

LP판처럼 / 송재옥

하루가 돌고 또 돌아
계절 가고 시절 간다

가락을 싣고 날마다
한 지점을 새긴다

- 2000년 《순수문학》 수필 등단
- 제8회 이병주하동국제문학제 디카시 수상 등
- 디카시집, 『소리의 그림자』, 『저문날의 삽화』
- (현) 한국문인협회 서울중랑지부 회원
- (현) 한국디카시인협회 서울중랑지회 부회장

거미줄이 저렇게 선명하게 나오기 힘든데 허공이 아닌 기왓장이 배경이라 그런 것 같다. 운율도 착착 감기며 언술 구조도 원형을 묘사하고 있다.
//가락을 싣고 날마다 / 한 지점을 새긴다//
눈여겨 본 지점은 바로 이 '지점'이다. 여기서 '지점'이 무엇인지 화자는 침묵하고 있다. 청자의 몫으로 남겨둔 것이다. 이게 바로 詩 읽는 맛이다. 디카시 창작 교본으로 삼을 만한 작품이다. 거미는 이 순간도 중심을 지키고 있다. 그런데 안타깝게도 먹이가 걸려든 흔적이 없다.

 깔끔하고 담백한 송 시인의 품성을 보는 듯하다. 송 시인은 꽃 시인이기도 하지만 '매미'와 '거미' '개미'를 피사체로 쓴 작품이 많다. 풀 한 포기 곤충 한 마리 속에서 우주 자연의 섭리를 발견하는 시선, 이게 바로 참 도덕인으로 사는 길이다. 어쩌니저쩌니 해도 詩人이 많은 사회는 순수에 더 가깝다.

바느질 / 정미순

비뚤배뚤
띄엄띄엄

느리고 어설프지만
앞으로 나아가는 땀

-1995년 《문예사조》 시 등단
-2007년 중랑문학상 본상
-공저: 디카시집 『사방팔방』, 『중랑디카시』 외
-한국문인협회 서울중랑지부 회원
-한국디카시인협회 서울중랑지회 부회장

나는 바느질엔 잼뱅이다. 아니다 '엔'이 아니라 '도'라고 해야 옳겠다. 글씨도 저 돌다리처럼 삐뚤빼뚤, 손으로 만드는 것은 소질이 없다. 문제는 음식 솜씨도 없다는 것이다. 하나를 보면 열을 안다는 말이 틀린 말이 아니다. 문득, 이런 아내를 데리고 사는 남편이 무던하다는 생각이 든다.

장소를 이어주는 다리와 천을 이어주는 바느질. 징검돌과 바느질 땀의 유사성, 시 짓기의 핵심은 관찰과 상상력을 바탕으로 공통점과 차이점을 찾는 과정에서 원관념과 보조관념을 확보했다면 부사 조사 형용사 접속사 등은 가감 없이 빼야 된다. 그런 것이 사족이 될 확률이 높다. 바늘을 만져 본 지가 언제인지 모르겠다.

물그림자 / 정점심

물고기 한 마리, 순간 꿀꺽
고고한 척 새침데기

빛의 속도로
지문 스캔하고 아닌 척 흔들리는

-2006년《문학저널》수필 등단
-2023년 중랑문인협회 중랑문학 우수상 수상
-공저: 수필집『꽃의 비밀』외 다수
-디카시집『중랑 디카시』
-한국디카시인협회 서울중랑지회 사무국장

위의 영상은 형광빛 물그림자가 방점이다.
//빛의 속도로 /지문 스캔하고 아닌 척 흔들리는//
'빛의 속도'와 '지문'이라는 표현 때문에 개인정보 유출이나
보이스 피싱을 유추하는데 어렵지 않다.
그렇게 보면 1연이 내포하고 있는 의미가 보인다.
한 건, 한 것이다. 속내가 검은 사람일수록 외모에 신경을
쓰고 달변가다. 쇠백로든 왜가리든 물리학적인 사실은 중
요하지 않다. 하얗다는 사실이 중요하다. 까만 가마우지
였다면 상황이 달라진다.

 함정이 판치는 세상의 일면을 점잖게 지적했다. 시의 핵심
은 사실이나 현상에 종주먹을 들이대기보다는 한 겹 실루
엣이 필요하다. 그럼에도 불구하고 실마리를 살짝 보여줘야
한다. 그렇지 않으면 관념적으로 흐른다.

행복한 바람 / 현송희

바람 불어 좋은 날이 있고
바람 불어 괴로운 날이 있다

서릿바람 높새바람 찾아와도
봄바람 꽃바람으로 맞이하기를

-한국외국어대학교 동대학원 졸(문학박사)
-전 한국외국어대학교 시간강사
-제2회 중랑서울장미축제 디카시공모전 최우수상
-공저:《중랑디카시》외
-한국디카시인협회 서울중랑지회 운영위원

유행가 가사처럼 연애는 필수지만 결혼은 선택인 시대라서 청첩장이 더 반갑다. 언제부터인가 청첩보다 부음을 더 많이 접한다.

신의 결합 순간을 포착한 영상과 낭창낭창한 언술이 장문의 주례사보다 낫다. 시인은 인생 선배 입장에서 2연에 '하늬바람'이 아닌 '서릿바람'이라 쓴 이유가 있을 것이다. 「행복한 바람」은 '바람'이 주제이자 소재다.

소재는 바람'風'인데 전체적인 의미는 동사 바라다의 '希望'이다. 이중 발화가 돋보이는 작품이다. 스마트 시대다. 늘어지고 길어지는 건 지루하다.

생의 화양연화 저 순간, 바람마저 질투를 하는지 면사포가 너울거린다. 용마루에서 십이지상이 망을 보고 있다.
푸른 소나무도 예사롭지 않다. 백년가약을 기약하라는 듯.

위대한 사랑 / 신경자

툭 떨어져 있어도
관심 빗나간 적 없지

수십억 년 하루 두 번
대지에 젖 물리는 하늘은

-2023년 《문예사조》등단
-저서: 디카시집 『허락된 시간』
-공저 《중랑디카시》외 다수
-문학그룹 샘문 정회원
-한국디카시인협회 서울중랑지회 운영위원

제목과 본문이 범 우주적이다. 댓글에 보니 지리산 천왕봉에 다섯 번째 올라서야 일출을 영접했다고 쓰여있다. 그러하기에 저런 웅장한 시가 탄생했을 것이다. 젖 물리는 일을 한 번이라도 놓친다면 우주에 균열이 올 것이다.

진화론과 창조론, 그 위에 시인(신)의 붓이 있다. 또한 본문 종결어미와 제목을 하나로 완성시켰다. 숙련의 과정을 거치지 않고는 나오지 않는 문장이다.

표고 보석 / 신은미

맏딸 시집보내고서

30년 세월 그리 멀까요
엄마는 그간의 이야기
둥글게 말려 오려낸다

-2006년 《문학저널》 수필 등단
-공저: 수필집 『꽃의 비밀』 외 다수
-디카시집 『카이로스』, 『중랑 디카시』
-한국디카시인협회 서울중랑지회 운영위원.

버섯을 예쁘게 오려서 수를 놓은 저 솜씨는 디자이너의 손길이다. 저런 무늬 스카프나 재킷도 고급스럽겠다는 생각을 하고 지나쳤다.

그런데 나중에 보니 '표고버섯'이 아니고 '표고 보석'이다. 그리고 댓글을 보니 친정 노모가 삼십 년 만에 딸네 집에 오셔서 버섯을 말리는 상황이었다. 신은미 시인은 시어른과 같이 산다.

모녀의 애틋한 마음을 미루어 짐작해 본다. 명치끝이 먹먹해진다. 우아하고 속 깊은 모녀의 사랑법이자 대화법이다.

디카시는 다양하게 세상과 소통하고 있다.버섯을 보석으로 가공해내는 시인은 신神이다. 아름다운 모녀의 사연이다.

마음이 요동친다 / 임회민

화려한 잔치 속에 청초한 진주

고대하고 있는 희망의 전령

-홍익대학교 졸업
-(전) DB손해보험 하와이 지점장
-공저: 《중랑디카시》
-한국디카시인협회 서울중랑지회 운영위원

총선을 며칠 앞두고 정치판은 요동을 치고 있다. 그러나 시인들의 마음을 요동치게 하는 것은 명예도 황금도 아니다. 남쪽부터 희망의 전령사들이 밀려오고 있다. 서울도 꽃들이 방긋방긋 잎을 열기 시작했다. 하얀 꽃 봉오리 하나가 가공하지 않은 천연 진주 같다. 花려한 잔칫상 앞에서 눈꼬리를 내리고 웃고 있는 임회민 시인의 모습을 상상해 본다. 나는 벌써부터 고대하고 있다.

　　4월 중순쯤, 축령산 꼭대기에서 만날 얼레지 군락과 7월 언저리 그늘에서 노란 드레스를 펼칠 망태버섯 생각을 하니 벌써부터 마음이 요동친다. 진짜진짜 소중한 것은 모두모두 무료다. 그것은 발견하고 누리는 자의 몫이다.

학수고대하는 시인 / 김법정

맛깔나는 시어들 숨었을까
바위 아래 파도 속에

배고픈 나그네
밤낮으로 비틀고 뒤집고 거꾸로
찾아보는

-2023《시와편견》디카시 등단
-공저 시집 『붉은 하늘』, 『중랑디카시』외
-2023서울장미축제 디카시공모전 최우수상
-시사모 동인
-한국디카시인협회 서울중랑지회 정회원

시인에게 학수고대는 본인 詩가 공히 인정을 받는 순간일 것이다. 제목만 놓고 보면 그렇다. 그러나 영상과 본문이 더해지는 순간 화학적 스파크가 인다.

'학수고대'란 제목과 새와 물의 이미지를 복선伏線으로 배치했다. 반영反映 같기도 하고 아닌 것 같기도 하고, 절벽 타는 새 같기도 하고 ···.

시가 추구하는 美중 하나는 비현실적 존재에 현실감을 주는 모호함이다. 위 영상을 180도 돌려보니 갈매기가 물가에 앉아 있는 평범한 장면이다. 디카시에서 사진은 그 순간 장면을 가감 없이 쓰는 걸 권유한다.

　그러나 위의 언술이 함의하는 바와 요철처럼 딱 들어맞기 때문에 무리가 없다고 본다. 저렇게 불순물 하나 없이 순도 높은 언술이 나오기까지 수많은 재련 과정을 거쳤을 것이다. 시인은 평범함보다 비범함을 추구하기 때문이다.

파안대소(破顔大笑) / 안정선

누구나 살면서
어찌 웃을 일만 있으랴

활짝 웃는 것도
배워야 한다

더없이 좋은 기회다

- (전) 서울 중등학교 교장
-2023년《동시조》,《동심디카시》신인문학상
-공저:《눈꽃 여행》민조시집,《도란도란》시조집,《중랑 디카시》
-물오름극단 배우
-한국디카시인협회 서울중랑지회 정회원

파안대소, 박장대소, 요절복통~ 이런 분위기 상상만 해도 기분 좋다. 웃을 일이 있어야 웃는다고 하지만 웃다 보면 기적처럼 웃을 일이 생긴다.

안정선 시인은 가족과 해외여행 첫날, 떠오르는 해의 살이 웃음살처럼 보였단다. 늦잠을 즐기는 손주들을 데리고 나와 "얘들아 '해'가 웃는다 웃어. 해해해 하하하 호호호 ~~~~" 하는 가족들 웃음소리가 들리는 듯하다.

나도 웃음소리가 크다. 어렸을 때 외할아버지께선 웃음소리가 그게 뭐냐며 계집애가 조신하지 못하다고 장죽으로 때리는 시늉을 하셨다. 동물 중 인간만이 웃는다. 그래서 수명이 타 동물에 비해 길다는 가설도 있다.

성경에 나오는 아브라함의 아들 '이삭' 이란 이름 속에는 '웃음'라는 의미가 들어있다. 그래서일까? 이삭은 리더십도 있고 최 장수했다고 한다. 건강, 장수의 비결은 멀리 있지 않다.

강변에서 / 이유상

물새가
그림자 하나 끌고 간다
상처까지 품고 살아가려고

-저서: 사진집 『제주 좋은 빛 함께 봐요』
　　　 산문집 『내 생의 오솔길』
-수상: 제2회 시사모 디카시 전국공모전 최우수상
　　　 제1회 디카시 하계시인학교 백일장 수상
　　　 제2회 중랑서울장미축제 디카시공모전 입상
-한국디카시인협회 서울중랑지회 정회원

디카시의 영상에서 가장 중요한 부분은 즉흥성과 우연성이다. 그 순간 포착을 하려면 언제든지 셔터를 누를 준비가 되어 있어한다. 포토샵을 한 게 아닐까 싶어, 다운로드하여 비슷한 이미지를 찾아본 적이 있다. 알고 보니 사진작가 였다.

「강변에서」를 보는 순간 나도 모르게 '군계일학'이란 사자성어가 터졌다. 디카시는 언술도 중요하지만 좋은 사진과 화학적 스파크가 자연스러울 때 오래도록 회자된다. 물리적인 그림자를 설명한다면 시가 아니다. 그림자는 어둠, 고통, 시련 등의 은유적 피사체다. 진주도 조개가 상처를 품어 생긴 결정체가 아닌가. 상처가 많은 사람일수록 詩는 진주에 가깝다.

문 너머로도 봄 / 양미옥

방문 너머로
봄날은

바깥을 엿보게 한다
마음을 열리게 한다

-서울교대. 한국교원대학교 대학원 졸업
-(전) 초등학교 교사
-(전) 초등 미술영재교육원 강사
-공저:《중랑디카시》
-한국디카시인협회 서울중랑지회 정회원

디카시는 발품으로 얻어진다. 벌써부터 봄에 대한 시가 우후죽순처럼 올라온다. 열려있는 한쪽 문으로 연두바람이 들어올 것 같은 목가적인 시골 봄 정취가 정겹다. 사람도 첫인상이 중요하듯 예술 또한 제목의 역할이 중요하다.

제목에 '도' 한 글자를 추가함으로써 화자와 청자는 이미 봄 맞을 준비가 되어있음을 암시하고 있다.

'문'과'봄' 두 개의 명사가 입에 눈에 착착 감긴다.

여기서 '봄'은 春을 뜻하지만 '보다'의 명사형 '봄'으로 해석해도 무방하니 외연과 내연 사이에 알레고리가 유연하다. 주제를 가볍게 터치한 본문도 리듬을 잘 살린 우수작이다.

쓸쓸한 퇴장 / 이종미

밤새워 일하며 시들어 가는 청춘들
술 마시고 길에서 자는 퇴직자
아기 업고 남편 기다리는 새댁
별 보며 퇴근하는 자존심 찢긴 중년
보름달 창백한 얼굴로 산 넘어간다

-2001년《수필과 비평》등단
-제 6회 동서커피 문학상 수상
-수필집:『나는 내가 참 좋다』
디카시집『거미화백』외
-한국디카시인협회 서울중랑지회 정회원

몸으로 일궈먹고 사는 서민들의 아픔을 그렸다. 굳이 해석 하지 않아도 된다. 이 시인의 시는 화장기 없는 수더분한 여인 같고 잔잔한 울림이 있다.

새벽에 일어나 달을 보고 서 있는 시인의 뒷모습을 상상해본다. 시인은 날마다 같은 자리에서 해와 달이 뜨고 지는 사진을 찍어 그 순간의 심상을 담담하게 부려놓는다. 어찌 그리도 많은 사연을 쓸 수 있느냐며 소녀 감성이라고 하면, 시가 되는지 어쩐지 모르지만 쓰지 않고는 견딜 수 없어 그냥 쓴다고 팔순 소녀가 손사래를 치며 부끄러워한다.

미국의 자연 사상가이자 작가인 헨리 데이빗 소로우의 말을 옮겨본다.

"떠오르는 아침 해를 보고 전율하지 않는 사람은 한물 간 사람이다."

전율과 절실이 진솔하게 어우러진 말글이 참 좋다.

삼투압 / 정유남

꽃잎에 푸욱 담그고
분홍 수액을 끌어 올려
핑크빛 편지지 만들어서

봄날 오후
설레는 사랑의 즐거움

-공저:《중랑디카시》
-한국디카시인협회 서울중랑지회 정회원

시적인 분위기와 거리가 있는 과학용어 '삼투압'이란 제목
이 눈길을 끌었다. 영상을 보니 더 아리송했다. 클릭을 안 할
수가 없었다. 사람도 3초 안에 인상이 결정된다고 한다.
예술 작품도 예외는 아니다. 뻔한 것보다는 반전과 딴전이
뇌리에 남는다. 야들야들하고 화사한 꽃들에게 에워싸인
매끈한 나무를 보라. 나도 저런 영상으로 쓴 글이 있는데 인
기 많은 오빠야로 썼었다. 그야말로 뻔한 내용인 것이다. 그
런 개인적인 경험이 있었기에 다시 보였다.

　언술의 밀도가 긴밀하다. 푸욱 담그고 / 끌어올리고 / 만들
어서 / 석 줄에 쓰인 동사들이 의기 투합해서 삼투압을 완성
시켰다. 매끈한 수관으로 삼투압을 거친 핑크라떼와 함께
봄날이 간다.

이브와 판도라 / 이운파(광수)

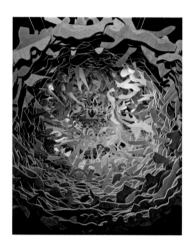

먹어볼까 열어볼까
금기와 욕망 사이

고통의 터널

다행이다 희망이 남았다

-2009년《문장21》시 등단
-2010년《에세이문예》수필 등단
-2008년 '세계시인의 날' 공모전 대상 수상
-2009년 '성북구청 주최' 수필 부분 대상
-전)인문학강사, 사회적기업 전무이사
-현)중랑디카시인협회 정회원

시인의 펜은 도끼이어야 한다. 지식이나 상식을 부수는 게 창작이기 때문이다. 나도 그리스 신화를 좋아해서 영어식 닉네임은 헤르메스다. 신화의 장면은 시의 언표다. 상징이 아닌 게 없기 때문이다. 이운파 시인은 일전에도 비슷한 이미지로 바벨탑이란 제목의 시를 썼다. 그때도 충격이었다. 이브와 판도라의 호기심 조합은 생각해 본 적이 없다. 도낏자루를 사방팔방 휘두르는 이운파 시인의 활동이 기대된다.

미생未生 / 염진희

그 밤
우린 꿈꿨네

서로 연결돼
완생完生으로 살아가는

-공저:《중랑디카시》창간호
-한국디카시인협회 서울중랑지회 정회원

'밤'이란 한 알의 문자 속에서 밤꽃이 피고 달꽃이 핀다. 이렇게 번뜩이는 지성과 가공의 상상력은 어디서 오는 걸까. 그냥 쉬이 읽어 내려가면 안 된다고 문자들이 커서를 깜빡이고 있다.

염 시인만의 독특한 필법이다. 태풍에 집을 잃어버린 어린 것들이 모여 다시 하나가 되려는 몸짓. 세상에 완전한 생이 어디 있겠는가. 저 미완의 생 저 어디쯤에 나도 찌르고 찔리며 살고 있다. 그래도 좋다. 시원始原의 빛 초록이 아직은 혈관을 타고 흐르고 있으므로.

마무리를 하며

■친절한 설강 선생님

1. 반드시 본인이 촬영한 사진이어야 한다.
2. 5행 이하의 시적 언술(본문)이어야 한다.
3. 사진 없이 언술만으로 충분히 전달된다면 디카시로 미달 이다.
4. 인물이 들어간 사진은 초상권 유의해야 한다.
5. 제목과 이미지 언술이 한 곡의 악보처럼 유기적이어야 한 다.
6. 아름다운 사진도 좋지만 히스토리를 읽어낼 수 있는 사진도 좋다.
7. 시는 압축파일이다. 낱말 하나에 만 원이 내 카드에서 **빠져나간다**고 생각하라. 의미가 중복되는 낱말이 있는지 살펴라. 부호도 활자다. 아껴라 .
8. 제목-이미지-언술-이름 순으로 배치한다. (편집상 달라질 수도 있다)
9. 시는 노골적 글쓰기가 아니다. 누름돌로 꾹꾹 눌러놓고 은유와 환유를 물색하라.
10. 제목이 '비 오는 날'인데 사진도 비 내리는 장면이고 본문에 비 오는 날이라는 문장이 들어가면 非詩에 가깝다.
11. 한자어를 굳이 쓰지 않아도 되는 말은 쉬운 우리말로 풀어서 쓴다.
12. 형용사, 부사, 조사, 지시 대명사 없어도 의미 전달이 되 면 무조건 **뺀다.**
13. 피동형 보다는 능동형으로 쓴다.

■디카+시詩

　디지털카메라와 시(詩)의 줄임말로, 자연이나 사물을 찍은 사진과 5행 이하의 시적 언술로 표현한 시다.
　2024년은 경남 고성에서 발원한 디카시 운동 20주년이다. 이미, 중 고등학교 검정교과서에 수록된 바 있으며 대학의 교양과정이나 전공과정에서도 디카시를 가르치고 있다. 근자에는 한국을 넘어 세계로 한글과 한국문학을 알리는 글로벌 문화 콘텐츠로 도약했다.

-디카시 창시자 이상옥 시인-

*이승하 시인이 SNS에 남긴 댓글을 허락받고 옮겨 왔다.

　디카시는 등단하지 않은 일반인들을 문학의 장으로 끌어들여 시를 쓰게 했습니다. 세상의 아름다움을 찾아내게 했습니다. 이것이야말로 디카시의 가장 큰 공헌이 아닐까 생각합니다.

　구민을 대상으로 디카시를 가르치는 입장에서 백 프로 공감하는 바이다. 예술의 본질은 현상 너머의 진실을 보는 일이다. 그 잎이 그 꽃이 그 열매의 생김새가 그냥 그렇게 생긴 게 아니다. 한 송이 꽃 속에 우주의 비밀이 들어있다.

daum 카페 : https://cafe.daum.net/dicapoem3
(중랑디카시인협회장 손설강)